hoofdpoort

hart

hard

prinses
Lanta

euw

werkblad

pc

Eindbaas

prinses Lanta

hoofdpoort

vijand

rotswand

nbd\biblion

Hans Kuyper

Jacht op de Eindbaas

met tekeningen van

Gertie Jaquet

STICHTING NEDERLANDSE
KINDERJURY
2006

Boeken met dit vignet zijn op niveaubepaling geregistreerd
en gecontroleerd door KPC Groep te 's-Hertogenbosch.

1e druk 2005

ISBN 90.276. 6205.3
NUR 282/286

© 2005 Tekst: Hans Kuyper
Illustraties: Gertie Jaquet
Samenleestips: Monique van der Zanden
Vormgeving: Lasso CS
Lettertype Read Regular: Natascha Frensch
Uitgeverij Zwijsen B.V. Tilburg

Voor België:
Zwijsen-Infoboek, Meerhout
D/2005/1919/405

Inhoud

1. Een nieuw spel

Het geluid van paps auto op het pad!
Daar zit Joerie al zo lang op te wachten.
Joerie hoort nog meer.
Het portier dat dicht slaat.
Paps voeten op het grind.
De sleutel in het slot.
En pap die roept: 'Ik ben er weer!'
Joerie rent de gang in.
'Heb je het?' vraagt hij.
'Is het al af?'
Pap lacht.
Zijn hand glijdt in zijn jaszak.
Hij haalt er een plat doosje uit.
'Kijk maar hier,' zegt pap.
'Af en klaar en voor jou, jongen.'

Joerie geeft een kreet van blijdschap.
Hij rukt het doosje uit paps hand.
Met zes stappen rent hij de trap op.
Bij het werkblad maakt hij het doosje open.
Er zit een nieuw spel in, weet Joerie.
Een spel dat pap gemaakt heeft.
Dat is paps werk.

Joerie laadt het spel op de pc.

Hij kan haast niet wachten.

Er flitsen letters op het scherm.

'Jacht op de Eindbaas,' leest Joerie.

Nu verschijnt er een eng hoofd.

Dat moet die Eindbaas zijn.

'Dag Joerie,' zegt de Eindbaas.

'Ik ben blij dat je er bent.'

De Eindbaas lacht.

Het is een heel naar lachje.

'Dus jij denkt dat je mij aankunt.

We zullen zien, jongen, we zullen zien.'

Alweer die lach.

Joerie huivert, maar het is ook leuk.

Het scherm wordt nu zwart.

Er speelt een droevig wijsje.

'Dit is de eerste stap,' zegt een stem.

'Je moet de weg uit het kasteel vinden.

Doe je best!'

Joerie ziet de zaal van een kasteel.

Hij speelt het spel als jongen met een zwaard.

Het is donker.

Er branden alleen een paar fakkels.

Joerie verschuift de muis.

Hij zoekt in de zaal naar een deur.

Dat valt nog niet mee.

En opeens is daar een soldaat.
En nog eentje, en nog een.
Joerie trekt zijn zwaard.
Hij vecht en vecht.
Net zolang tot er geen soldaat meer is.
En kijk, nu vindt hij ook een deur.
Voorbij de deur is een lange gang.
Daar loopt ook weer een soldaat.
'Dit duurt vast nog heel lang,' mompelt Joerie.
Het is een machtig spel.
Wat zal er nog meer komen?
Monsters?
Een spook?
Joerie houdt zijn zwaard klaar.
Dan sluipt hij de gang in …

2. Naar buiten

Hoelang zit Joerie daar al?
Vast wel meer dan een uur.
Maar het spel is ook zo spannend!
Er zijn monsters en reuzen.
Joerie doodde zelfs een trol!
Maar nu staat hij voor de poort.
De hoofdpoort van het kasteel.
Als hij daar doorheen gaat, is hij buiten.
Dan is de eerste stap voorbij.
Hoe moet Joerie de poort los krijgen?
Hij hakt met zijn zwaard op het slot.
Dat helpt.
De poort piept en zwaait opzij.
Joerie ziet een diepe tuin.
Het lijkt zijn eigen tuin wel!
Opeens staat de Eindbaas op het gras.
Hij draagt een lange, zwarte mantel.
'Goed werk, Joerie,' zegt de Eindbaas.
'Dat was de eerste stap.
Je mag nu het kasteel uit.
Ga maar naar de tuin.'
Het scherm wordt donker.
En dan komt er niets meer.

Joerie snapt het niet.

Het spel is toch niet uit?

Daar klinkt de stem van de Eindbaas weer.

'Naar buiten, Joerie.

Gewoon, de trap af en de tuin in.

Schiet op, ik wacht op je!'

Joerie kijkt naar het scherm.

Het is echt voorbij.

Of niet?

Moet hij nu de tuin in gaan?

Dat zei de Eindbaas.

Maar raar is het wel.

Een spel dat je naar buiten stuurt!

Dat is heel nieuw.

Maar ja, soms maakt pap iets geks.

Joerie staat op en loopt de trap af.

Daar staat pap, in de gang.

Hij heeft een zwaard in zijn hand.

'Ben je klaar voor stap twee?' vraagt hij.

'Ga dan de tuin maar in.

Pas goed op, het kan eng worden.

Maar ik weet dat je niet bang bent.

Hier is een zwaard.

Dat komt vast wel van pas.'

Pap duwt Joerie de tuin in.

Joerie is alleen op het gras.
Pap sluit de deur achter hem.
De wind ritselt in de struiken.
Het is warm, zo in de zon.
Wat moet Joerie doen?
Hij loopt een paar stappen de tuin in.
Let op, denkt hij.
De vijand kan in de buurt zijn.
Maar Joerie ziet niets.

Nog een stap, en nog eentje.
Nu komt Joerie bij de struiken.
Achter de struiken is een hek.
En daar weer achter ligt het bos.
Dan hoort Joerie opeens een gil.
Er gilt een vrouw in het bos.
En het is geen gil van blijdschap.
Het is een doodskreet!

3. Een prinses

Joerie aarzelt.
Durft hij het bos wel in?
Waarom gilt die vrouw zo hard?
Zit daar ergens een monster?
Het is een spel, denkt Joerie.
Een raar spel, maar toch een spel.
Hij klimt op het hek.
Met een sprong is hij in het bos.
De vrouw gilt nog een keer.
Ze moet hier vlakbij zijn.

Joerie sluipt tussen de struiken door.
Daar is een plek met wat gras.
De vrouw staat vast aan een boom.
Een soldaat houdt de wacht.
'Hou je bek,' zegt de soldaat kwaad.
'Smoel dicht of ik sla hem dicht.'
De vrouw kijkt heel bang.
Joeries hart klopt in zijn keel.
De soldaat ziet er sterk uit.
En hij kijkt ook zo kwaad.
Joeries vingers glijden langs zijn zwaard.
Ik moet wachten, denkt hij.

Wachten op een kans.

Doodstil zit Joerie tussen de struiken.
Het lijkt een eeuw, zo lang duurt het.
Dan draait de soldaat zich om.
Nu! denkt Joerie.
Langzaam sluipt hij door het gras.
Tot hij vlak bij de soldaat is.
Hij heft zijn zwaard en ...
Pats!
Joerie raakt de soldaat tussen zijn schouders.
De man wankelt en valt neer.
Er druipt iets roods van onder zijn helm.
Is dat bloed, echt bloed?
Joerie rilt.

'Maak me los,' zegt de vrouw.
'We moeten snel weg hier.
Anders komt er weer een soldaat.
Ze zijn met heel veel in dit bos.'
'Wie ben jij?' vraagt Joerie.
'Maak me eerst los,' zegt de vrouw.
'Dan vertel ik je alles.'
Joerie hakt de touwen los met zijn zwaard.
Snel kijkt hij naar de soldaat.
Die ligt nog steeds op de grond.

Zou hij dood zijn?

'Dank je, Joerie,' zegt de vrouw.

'Je bent een echte held.'

'Hoe weet jij mijn naam?' vraagt Joerie.

'Jij speelt dit spel,' zegt de vrouw.

'Ik weet dat en die soldaat ook.

Dat heeft de Eindbaas verteld.'

'Ken jij de Eindbaas dan?' vraagt Joerie.

'Jawel,' zegt de vrouw.

'Heel goed zelfs.'

'Weet je waar hij is?' vraagt Joerie.

'Ergens in dit bos,' zegt de vrouw.

'Volg mij maar.

En houd je zwaard bij de hand!'

4. Oorlog

'Ik ben prinses Lanta,' zegt de vrouw.
'De dochter van heer Santo.
Hij is de heer van dit bos.
Maar nu heeft de Eindbaas hem te pakken.
Die wil hier de baas zijn.
Als jij me helpt, lukt hem dat niet.
Dan komt mijn lieve pappa weer vrij.'
'Zeg maar wat ik moet doen,' zegt Joerie.
Hij voelt zich sterker met Lanta naast zich.
Het is fijn om niet meer alleen te zijn.
'We moeten hulp zoeken,' zegt Lanta.
'Niet ver van hier is een hut.
Daar woont een oude boer.
Misschien helpt hij ons.'

Lanta wijst de weg.
Ze gaan dwars door het bos.
'De paadjes zijn niet veilig,' zegt Lanta.
'Daar lopen de mannen van de Eindbaas.'
Joerie denkt na.
'Hoe moet ik je noemen?' vraagt hij.
'Hoogheid, of prinses of zo?'
Lanta lacht lang.

'Zeg maar Lanta,' zegt ze dan.
'Ik zeg toch ook geen meneer Joerie?'
Joerie grinnikt.
Ik loop naast een prinses, denkt hij.
Het is een spel, maar toch.
Een echte prinses.
Die zie je niet zo vaak.

'Daar!' sist Lanta.
Ze grijpt Joerie bij zijn arm.
'Vlak voor ons, op dat pad!'
Joerie ziet het ook.
Er staat een groep mannen.
Ze zien er net zo uit als de soldaat.
Deze zijn dus ook van de Eindbaas.
'Durf je het aan?' vraagt Lanta.
Joerie trekt zijn zwaard.
'Het zijn er wel veel,' zegt hij.
Hij denkt weer aan het bloed.
Vechten is niet zo erg leuk.
Vooral niet als het echt is …

Joerie aarzelt.
'We kunnen er ook omheen,' zegt Lanta.
Maar dan komt er nog een groep mannen.
Ze zien er heel anders uit.

In hun handen hebben ze knuppels
Er is er ook een met een hooivork.
En eentje zwaait met een vlag.
Op de vlag staat een draak.
De draak is rood.
'Dat zijn de boeren,' fluistert Lanta.
'Dit wordt oorlog!'

Nu gaan ze vechten op het pad.
De boeren schreeuwen hard en
hakken er op los.
De mannen van de Eindbaas doen hun best.
Af en toe valt er een man om.
Meestal is het een soldaat van de Eindbaas.
Opeens houdt het vechten op.
De mannen van de Eindbaas vluchten weg.
Een heel stel blijft achter op de grond.
De boeren juichen.
'Gaan we naar ze toe?' vraagt Joerie.
'Nee,' zegt Lanta.
'Ze kennen jou niet.
Misschien doen ze je wel kwaad.
We gaan naar de oude boer.'

Dat is vreemd, denkt Joerie.
Die boeren kennen Lanta wel.

Ze kan toch zeggen wie ik ben?
Joerie kijkt de prinses aan.
'Kom,' zegt ze.
'We moeten snel zijn.
De Eindbaas heeft heel veel mannen.
Die zullen vlug hier zijn.'
Joerie denkt na.
Misschien heeft Lanta gelijk.
Die boeren zien er woest uit.
Joerie haalt zijn schouders op.
Lanta is alweer een eind het bos in.
Joerie steekt zijn zwaard weg.
Dan rent hij achter Lanta aan.

5. De oude boer

Het is niet ver meer naar de hut.
En ze zien nergens een soldaat.
De oude boer zit op de drempel.
Hij rookt een pijp.
'Zo, prinses.' zegt hij tegen Lanta.
'Wie heb je nu weer bij je?'
'Dit is Joerie,' zegt Lanta.
'Hij speelt dit spel.
Dat weet je toch?'
De oude boer knikt met een glimlach.
'Je speelt goed,' zegt hij.
'Je leeft nog steeds.
En de Eindbaas is niet ver meer.'
'Weet u waar hij is?' vraagt Joerie.
De oude boer lacht nu hardop.
'Rustig aan,' zegt hij.
'Het zal nog moeilijk worden.'

De oude boer staat op.
Hij wijst met zijn pijp.
'Daar, in het noorden, is een grot.
In de grot woont een draak.
Als je die verslaat, komt de Eindbaas.'

Joerie schrikt.

Een draak!

Dat had hij niet verwacht.

Lanta kijkt hem aan.

'Ben je bang, Joerie?' vraagt ze.

Joerie haalt zijn schouders op.

'Het is een spel,' zegt hij.

'Voor jou misschien,' zegt Lanta.

'Maar voor mij niet.

Mijn pappa zit vast.

Zonder jou kan ik hem niet helpen.'

Joerie knikt.

'Dan gaan we maar,' zegt hij.

'Het ga jullie goed,' zegt de boer.

Hij kijkt hen na.

De weg is moeilijk.

Er is geen pad naar de grot.

Af en toe zien ze een soldaat.

Dan moeten ze wachten.

Joerie wil niet vechten als het niet hoeft.

Opeens brengt de wind vreemde geuren mee.

Een stank van rot ei en mest.

'Het kan niet ver meer zijn,' zegt Lanta.

'Het ruikt hier al naar draak.'

Joerie trekt alvast zijn zwaard.

Langzaam sluipen ze verder.
Nog twee stappen, nog eentje …
Daar is de rand van het bos.
Joerie ziet een grijze rotswand.
In het midden zit een donker gat.
Het stinkt heel erg.
'Ga nu,' zegt Lanta.
Joerie stapt de struiken uit.
Langzaam loopt hij naar de grot.
Er komt iets naar buiten.
Het is geen draak.
Het is vuur, veel vuur.
Een helse zee van vlammen!

6. Strijd met de draak

Joerie duikt weg.
Het vuur gaat net aan hem voorbij.
Dan is alles weer stil.
Er fluit zelfs een meesje.
'Leef je nog?' fluistert Lanta.
Joerie krabbelt op.
Hoe kan ik dit winnen? denkt hij.
Ik kan niet eens naar die grot toe.
Er is zo veel vuur!

'Ik heb een plan,' zegt Lanta.
'Als ik nu hier blijf staan.
Dan spuwt de draak zijn vuur naar mij.
En dan ga jij langs die kant.
Misschien ziet de draak je dan niet.'
'En misschien ook wel,' zegt Joerie somber.
'Dan ben ik straks een verbrand worstje.'
'We moeten toch iets doen,' zegt Lanta.
'Voor mijn pappa.'
Joerie knikt.

Joerie sluipt door de struiken.
Een eindje verder stopt hij.

Hij zwaait naar Lanta.

De prinses springt uit de struiken.

'Joehoe, draak!' gilt ze.

'Hier ben ik!

Ik heb het zo koud!

Geef me eens een vuurtje!'

Er komt een zee van vlammen naar buiten.

Recht op Lanta af.

Joerie rent naar de grot.

Hij ziet de kop van de draak.

Die is rood, zo rood als bloed.

De rest van de draak ziet Joerie niet.

Daar is de grot te donker voor.

De draak merkt niet dat Joerie er is.

Hij kijkt nog steeds naar Lanta.

En hij spuugt zijn vuur.

Joerie heft zijn zwaard hoog op.

Met één klap, denkt hij.

Die kop moet er met één klap af ...

Maar dan schiet hem iets te binnen.

De draak is rood.

Net als de draak op de vlag.

De vlag van de boeren!

En de boeren vechten met de Eindbaas.

Misschien hoort de draak wel bij hen.
Misschien is de draak juist een vriend.
Maar dan is Lanta …
Liegt Lanta alles soms?
Hoort ze bij de Eindbaas?
Daarom mocht ik niet naar de boeren!
Joerie is in de war.
Wat een moeilijk spel is dit.

Opeens ziet de draak Joerie.
Hij draait zijn kop naar hem toe.
Joerie ziet de bek vol scherpe tanden …
Nu komt de zee van vlammen, denkt Joerie.
Nu vlieg ik in de fik.
Dan is het spel voorbij.
Dan ben ik …
Hoe heet dat ook alweer?
Game over.

7. De Eindbaas komt

'Draak!' gilt Joerie.
'Niet doen, ik ben een vriend.
Maak me niet dood!'
De draak kijkt hem lang aan.
Dan sluit hij zijn bek.
'Ik weet alles,' roept Joerie.
'Prinses Lanta is slecht.
Ze hoort bij de Eindbaas.
Ze wil juist dat ik doodga.
Dan wint de Eindbaas het spel.
Maar ik heb haar door!'

Joerie hijgt ervan.
De draak houdt zijn kop schuin.
Hij luistert goed.
'Ik heb een plan,' zegt Joerie.
'Ik doe net of ik jou doodmaak.
Dan komt de Eindbaas.
En dan sta jij weer op.
Jij en ik kunnen winnen van de Eindbaas.
Dat weet ik.
Wat denk je, doen we het zo?'
De draak denkt na.

Dan knikt hij langzaam.
'Goed dan,' zegt Joerie.
'Pas op, ik ga slaan.
Dan moet jij omvallen.'

Joerie heft zijn zwaard opnieuw.
Hij slaat op de nek van de draak.
Hij slaat niet heel hard.
Maar de draak schreeuwt het uit.
Hij wankelt en valt om.
'Goed zo!' roept Lanta vanuit de verte.

Lanta rent naar de grot.
Joerie kijkt haar aan.
Ze ziet er opeens niet meer zo lief uit.
Ze heeft een naar lachje.
'Knap werk, Joerie,' zegt ze.
'En hier is je prijs!'
Lanta wijst naar de bosrand.
Daar staat een man in een zwarte mantel.
Hij draagt een groot zwaard.
'Ik stel je voor aan heer Santo.
Mijn lieve pappa.'
Joerie schrikt.
Hij herkent de Eindbaas.
Lanta is de dochter van de Eindbaas!

'Joerie!' roept de Eindbaas met zijn kille stem.

'Ben je er klaar voor?'

Joerie slikt.

Dan loopt hij naar de bosrand.

Hij kijkt nog een keer naar de draak.

Die ligt heel stil.

Als hij me maar wel helpt, denkt Joerie.

Zonder de draak lukt het niet.

Dan loopt het slecht met me af.

Joerie is nu vlak bij de Eindbaas.

De Eindbaas ziet er eng uit.

Hij lacht vals.

Joerie tilt zijn zwaard op en haalt uit.

De Eindbaas vangt de klap lachend op.

Joeries zwaard breekt in vijf stukken.

Hij gilt van schrik.

En dan heft de Eindbaas zijn zwaard …

8. Einde van het spel

Joerie durft niet te kijken.
Nu komt de klap, denkt hij.
De Eindbaas slaat mijn hoofd in twee stukken.
Dan is alles voorbij.

Maar er komt geen klap.
In plaats daarvan hoort Joerie een stem.
De stem van pap.
'Een goed spel, vind je niet?
En jij had alles door.
Erg knap van je.'
Joerie kijkt.
Voor hem staat pap.
Hij heeft de mantel van de Eindbaas nog om.
In zijn hand houdt hij een masker.
Dat was dat enge hoofd!
Een masker!
Hoe kan dat nou?

'Het is een spel,' zegt pap.
'Dat wist je toch wel?'
Lanta loopt lachend op Joerie af.
Uit de grot komt een groepje mannen.

Ze hebben de kop van de draak bij zich.
En een gasfles.
Daarmee maakten ze de vlammen.
Het was dus niet echt.
De oude boer komt uit het bos.
En ook de soldaat die dood was.
Niks was echt, alles was een spel.
Joerie weet niet wat hij moet doen.
Moet hij kwaad zijn, of juist lachen?

Pap trekt de mantel uit.
Hij pakt de hand van Lanta.
'Dit is Els,' zegt hij.
'Die werkt bij mij op de zaak.
En die soldaat is Kees.
Hij maakt spellen, net als ik.
De oude boer heet Geert.
Hij maakt ons kantoor schoon.
En die mannen zijn ook van mijn werk.
Vond je het leuk?'
Joerie haalt zijn schouders op.
'Maar waarom?' vraagt hij.
'Altijd binnen zitten is niet goed,' zegt pap.
'Niet voor jou en niet voor ons.
Altijd maar achter dat beeldscherm …
Wij wilden naar buiten.

En toen had Els dit plan.
Het leek mij leuk om te doen.'

Ja, denkt Joerie, het was ook leuk.
Het was spannend en eng.
Maar ook heel erg leuk.
'Die draak leek heel echt,' zegt Joerie.
'Hij is van rubber,' zegt pap.
'En al dat bloed,' zegt Joerie.
'Uit een flesje,' zegt pap.
'En nu ik flesje zeg, heb ik dorst.
Ik heb veel lekkers in huis.
Het is feest, omdat jij de winnaar bent!'
Pap slaat zijn arm om Joeries schouders.
'Dapper kind,' zegt hij trots.
Els geeft hem zelfs een kus.
Dat hoeft nou ook weer niet.
'Hou maar op,' zegt Joerie lachend.
'*Game over*!'

Leestips

Leesplezier is bij het lezen het allerbelangrijkst! Een kind dat
moeizaam leest, heeft wat handreikingen nodig om de fantastische
wereld van boeken te ontdekken.

De cd bij dit boek is bedoeld als lekkere luister-cd.
Het eerste hoofdstuk is erop ingesproken.

 **Joeries vader heeft een computerspel gemaakt voor
Joerie. Het begint heel gewoon: Joerie sluipt met een
zwaard de gang van een kasteel in. Maar wat heeft de
gemene Eindbaas allemaal in petto?**

Uw kind kan dat ontdekken door zelf verder te lezen.

Daarbij kan het de flap van het boekje uitgevouwen houden.
De plaatjes op de flappen en de pictogrammen ondersteunen het
verhaal dat in woorden verteld wordt. Voor dyslectische kinderen is
het plezierig door de plaatjes al gericht te worden op de inhoud van
het verhaal. Daardoor wordt het lezen van de woorden makkelijker.

Samen lezen is heerlijk. Een goede manier van samen lezen is: om de
beurt een bladzijde voorlezen. Het is belangrijk om ervoor te zorgen
dat het lezen niet te moeilijk wordt voor het kind. Als iets niet lukt,
kunt u het woord of de woorden gewoon voorzeggen. Voorzeggen is
een goede manier om de letters bij uw kind in te prenten. Het is beter
om fouten te voorkomen dan ze te laten optreden.

Als u weet dat uw kind bij iedere 'e' aarzelt tussen 'e' of 'a', is het
beter de letter meteen voor te zeggen. Bijvoorbeeld bij het woord
'zwaard': zeg het hele woord of het eerste gedeelte van het woord
'zwaa-' voor en laat uw kind de rest zeggen. Net zolang tot de 'e' en
'a' makkelijker worden.

Laat uw kind zo nodig een regelwijzer gebruiken: een strook stevig
papier met een gat ter grootte van één regel tekst.

Een heel fijne, effectieve leesmanier: u leest het boek **langzaam** (!)
in op een bandje. Uw kind kan het bandje zo vaak het wil afspelen en

zelf in het boek meelezen, zachtjes of hardop. U kunt het bandje naar believen 'aankleden' met muziek en geluiden (of laat uw kind hierbij helpen!), maar zorg ervoor dat de tekst nooit dóór de muziek heen gesproken wordt.

Doetip: Breng het boek tot leven

In het boek komt een computerspel tot leven. Uw kind kan het boek tot leven brengen! Kinderen met dyslexie hebben een groot beeldend vermogen en zien een verhaal vaak zó voor zich. Laat uw zoon of dochter lekker aan de slag gaan met klei, lappen, verf, zand, takken en/of ander materiaal, binnen of buiten, als toneelstuk of maquette, op kleine of grote schaal, net wat het kiest. Kijk wat er ontstaat en leer de binnenwereld van uw kind op die manier beter kennen. Misschien kunt u tot slot samen zelfs een écht 'drakenvuurtje' maken en worstjes roosteren.

Uittip

Joeries vader bedenkt en maakt computerspelletjes. Is uw kind geïnteresseerd in techniek, ICT en wetenschap? Een dyslectisch kind leert het beste door zelf doen en ervaren, met hoe meer zintuigen hoe liever. Een bezoek aan science center NEMO in Amsterdam is daarom erg de moeite waard! Voor meer informatie: *www.e-NEMO.nl* of tel. 0900-9191100 (€ 0,35).

Gouden tip: als uw kind een spreekbeurt gaat houden, laat het dan zo mogelijk zijn informatie driedimensionaal opdoen, dus niet (alleen) uit boekjes maar door middel van museumbezoek, excursie, enzovoort. Een goede zoeksite is *www.uitmetkinderen.nl*

Lettertype

De boeken in deze serie zijn op een ruime manier opgemaakt om uw kind het lezen te vergemakkelijken. Daarnaast zijn het de eerste in Nederland die gedrukt zijn in Read Regular, een lettertype dat speciaal is ontworpen om mensen met dyslexie te helpen effectiever te lezen en te schrijven! Bezoek *www.readregular.com* voor meer informatie over dit lettertype, en ervaar zelf eens hoe een dyslectisch medemens een tekst ziet.

Meer informatie over dyslexie
Bezoek onze site op *www.zoeklicht-dyslexie.nl*

Naam: *Hans Kuyper*
Ik woon met: *De liefste vrouw van de wereld en twee geweldige zonen.*
Dit doe ik het liefst: *Kranten lezen aan de keukentafel.*
Dit eet ik het liefst: *Alles wat uit Mexico komt.*
Het leukste boek vind ik: *'Peter Pan'.*
Mijn grootste wens is: *Dat er een boek van mij verfilmd wordt – en dat ik dan mee mag doen!*

Naam: *Gertie Jaquet*
Ik woon met: *Gijs en dochter Maria en een goudvis in een poort in Amsterdam.*
Dit doe ik het liefst: *In Rome rondlopen en een lekker ijsje kopen.*
Dit eet ik het liefst: *Een verse witte boterham met dik roomboter en hagelslag.*
Het leukste boek vind ik: *'5 jongens en 5 olifanten' van Jiri Trnka.*
Mijn grootste wens is: *Dat al mijn wensen uitkomen!*